THE
Recipe Book

*'Happiness: a good bank account, a good cook,
and a good digestion.'*
JEAN-JACQUES ROUSSEAU (1712-1778)

Introduced
by
Geraldene Holt

SMITHMARK

This edition published in 1995 by Smithmark Publishers Inc.,
16 East 32nd Street, New York, NY 10016.

SMITHMARK books are available for bulk purchase for sales
promotion and premium use. For details write or call the manager of
special sales, SMITHMARK Publishers Inc., 16 East 32nd Street, New
York, NY 10016; (212) 532-6600.

Produced by Studio Designs, A Division of Studio Editions Ltd.,
Princess House, 50 Eastcastle Street, London W1N 7AP.

ISBN: 0-8317-7463-0

Printed in Spain

10 9 8 7 6 5 4 3 2 1

Contents

Introduction

One of my most treasured family possessions is a small, tattered notebook – the kind that are used for household accounts – which has lost its cover and whose pages are yellowed and stained. When, a couple of years ago, my mother gave it to me, a host of early memories returned. For this is the book in which my mother wrote her favourite recipes when I was a child. I can't find a date in the book but there are some clues. Sandwiched between two recipes is the note: Geraldene 2'6" tall, sleeve, 7". I sometimes look at these measurements and try to work out how old I was when, only knee-high to a grasshopper, I had such short arms. There are more clues at the back of the book where my mother had scribbled some shopping lists of the time: butter, sugar, eggs and tea. For a family of five (and my mother was never known for her economy) the amounts are quite small, so I imagine that post-war rationing still prevailed.

Looking at the recipes, though, there are few signs of austerity. Auntie Carey's Fruit Cake, rich with butter, almonds and fruit is a recipe from Canada that makes a vast cake, which, my mother notes, was wrapped in butter muslin and kept in a drawer in the kitchen dresser. Did many people keep cakes in dresser drawers, I wonder?

After so many years the pages of the notebook are fragile and tear easily. Sometimes half a recipe is missing – which is maddening when I want to try it out. Others, happily, are complete: there's a recipe for Toffee Apples which my brothers and I made every year, without fail, for our November the Fifth Firework Party. There are recipes from friends and family – there's one from my grandmother, entitled "Mrs Brockway's Winter Pudding" and one from a mysterious Miss Parker with the cryptic message 'Not to be given to others' scrawled in strange writing at the bottom. Some people get very possessive about their recipes, it seems. We all know those tedious souls who pass on a recipe with an important ingredient deliberately missing.

I have now copied some of my mother's recipes into my own notebook. Flicking through the entries of earlier years it looks as if I've always been keen to record what I've cooked. Perhaps because I make up recipes as I go along, I see that sometimes I was so short of time I just jotted down the ingredients, the cooking temperature and the cooking time. As long as the method is not particularly unusual this can be adequate. But to be really useful it's better to record fuller details.

Some of my recipes have been written down by my children. One of them would sit at the kitchen table slowly putting down – in joined-up writing – on paper what I spelled out while performing at the stove. As I read their tiny, neat writing, memories of innumerable happy times come flooding back.

Earlier in the book there are careful records, including details of the wines, of rather formal dinner parties – the ones you give when first married – later the parties relaxed somewhat and became part of everyday life and I gave up recording them. I have always developed new recipes for parties, especially birthday celebrations. On some pages there are descriptions of elaborate cakes designed for children's parties – a monster or a steam engine, a merry-go-round and a space rocket that, at the time, seemed to be the centre of my world. There are recipes from friends, one even copied from a tea-towel which, of course, later wore out. There are notes taken on holiday – I remember a day spent with friends making sausages and potted meats in a pretty village in southern Germany, all of which I recorded in great detail complete with the recipes that we prepared that day. There are lots of recipes from friends in France and from cooks in small restaurants and grand hotels here and abroad. If a dish was especially complicated I drew little sketches to make it clear – nowadays I tend to use a camera. And, naturally, there are plenty of recipes I did not write down. Sometimes my children remind me of a specially popular pudding or fish dish that I devised and I can find no trace of it in the notebooks. I regret that they are missing and are beyond recall. So, if you can, do write in your recipes at the time.

During the years that I wrote in the notebooks I had no idea that some of the recipes would see the light of day in a proper published cookery book. Not until I was asked to write a book about the cake stall that I started in Tiverton Pannier Market in Devon did I realise that these recipes, which had been family favourites for years, would now have a wider public. My cake stall happened some years ago and now someone else runs it and I have gone on to write three more cookery books. So it's not surprising that I am now even more convinced of the value of one's own personal recipe book.

There is an art to writing a recipe which, when well done, can be most satisfying. First and foremost, a recipe is a series of instructions for how to do something or how to create a certain effect. The instructions should be clear and straightforward. Exact measurements should be given, otherwise it is virtually impossible to recreate the dish, so it's worth keeping to a set of rules. As, for example, when describing a spoonful: it is a good idea to state accurately whether a spoonful is level, rounded or heaped. You think you will remember these things but somehow you don't.

The best-written recipes give the ingredients in the order in which they appear in the method. And I think it is useful to note at the start of the recipe what needs to be done ahead, like pre-heating the oven – I even record what kind of oven I'm using, because if I'm using a fan-assisted oven the cooking time is shorter than for a conventional oven whereas the times for cooking in a micro-wave oven will be different again. It is vital to state the oven temperature and the cooking time to ensure good results.

Now we come to the written instructions. Again it is helpful to record them in the order in which you carry them out. When you start to write down your recipes it is often easier if you number the stages in the method – 1,2,3 and so on. Having said that, I still find that, on occasion, I write 'Oh, I forgot' and an arrow beside the particular instruction to show that it should have been done earlier.

Don't worry – especially, if to begin with – your instructions seem very lengthy. You gradually adopt the kind of shorthand that many recipes are written in. Most recipes can be refined a bit as you recook the dish and anyway, at some later date, you may wish to enter a new version of the recipe in your book when you can update or prune the original. When, in time, you come to look back you'll find that observing the progression of your recipes and the way they are written is fascinating. Recipes can tell so much about a time, a place and a person. How we treat our food – how we prepare it, cook it and serve it – is so revealing.

In the eighteenth century Parson James Woodforde, who was first a curate in Somerset until he took over the living at Weston Longeville in Norfolk, kept a diary. Clearly fond of food, but not a glutton, the parson tells us a great deal about the food and customs of his time. On April 19, 1768, "I gave Mrs Farr a roasted shoulder of Mutton and a plum Pudding for dinner – Veal Cutlets, Frill'd Potatoes, cold Tongue, Ham and cold roast Beef and eggs in their shells. Punch, Wine, Beer and Cyder for drinking." It was obviously quite a meal, and reading it has sent me off to hunt down how to make Frill'd Potatoes.

In his descriptions of meals, of growing his vegetables or making his own beer, Parson Woodforde conveys an enthusiasm which makes the book a joy to read. For it is the sheer, infectious and thoroughly beneficial pleasure of cooking and eating good food that seems often to be forgotten these days.

So I would urge that when you start to write in the pages that follow you put down what you feel about the food – even your most fleeting thoughts – and what others say about a particular recipe. Describe the occasion when you cooked the recipe and who shared the food. Make this book personal, make it your own. In this way the book will be far more than just a collection of recipes, for every time you read it the book will give you pleasure. In time, perhaps, others will read it, and the book may become an heirloom, handed down with pride to your descendants. And, who knows, it may come to pass that what you are about to write will one day become a published work which will enhance the lives of not just your family and friends for whom you cooked the food but also the thousands of readers whom you'll probably never meet but who will feel they have met you.

GERALDENE HOLT

Soups

'To make good soup, the pot must not bubble
with laughter – it must only smile.'
FRENCH PROVERB

Recipe

Serves: _____ Equipment: _____

Cooking Times: _____

Oven Temperature: _____

Ingredients

_____
_____
_____
_____
_____
_____
_____

Method

_____
_____
_____
_____
_____
_____
_____
_____

Serving Suggestions/Remarks

_____
_____
_____
_____
_____

Recipe

SERVES:_____   EQUIPMENT:_____

COOKING TIMES:_____

OVEN TEMPERATURE:_____

Ingredients

_____

_____

_____

_____

_____

_____

_____

Method

_____

_____

_____

_____

_____

_____

_____

_____

Serving Suggestions/Remarks

_____

_____

_____

_____

_____

Recipe

SERVES:_____ EQUIPMENT:_____

COOKING TIMES:_____

OVEN TEMPERATURE:_____

Ingredients

_____
_____
_____
_____
_____
_____
_____
_____

Method

_____
_____
_____
_____
_____
_____
_____
_____
_____

Serving Suggestions/Remarks

_____
_____
_____
_____
_____

Recipe

Serves:_____Equipment:_____

Cooking Times:_____

Oven Temperature:_____

Ingredients

_____

_____

_____

_____

_____

_____

_____

Method

_____

_____

_____

_____

_____

_____

_____

Serving Suggestions/Remarks

_____

_____

_____

_____

_____

Recipe

SERVES:————————————— EQUIPMENT:—————————————

COOKING TIMES:—————————————————————

OVEN TEMPERATURE:—————————————————

Ingredients

————————————————————————————————

————————————————————————————————

————————————————————————————————

————————————————————————————————

————————————————————————————————

————————————————————————————————

————————————————————————————————

Method

————————————————————————————————

————————————————————————————————

————————————————————————————————

————————————————————————————————

————————————————————————————————

————————————————————————————————

————————————————————————————————

Serving Suggestions/Remarks

————————————————————————————————

————————————————————————————————

————————————————————————————————

————————————————————————————————

————————————————————————————————

Recipe

Serves:————————— Equipment:————————————

Cooking Times:————————————————————

Oven Temperature:——————————————————

Ingredients

————————————————————————————
————————————————————————————
————————————————————————————
————————————————————————————
————————————————————————————
————————————————————————————
————————————————————————————
————————————————————————————

Method

————————————————————————————
————————————————————————————
————————————————————————————
————————————————————————————
————————————————————————————
————————————————————————————
————————————————————————————
————————————————————————————

Serving Suggestions/Remarks

————————————————————————————
————————————————————————————
————————————————————————————
————————————————————————————
————————————————————————————

Recipe

SERVES:—————————— EQUIPMENT:——————————

COOKING TIMES:——————————————————————

OVEN TEMPERATURE:————————————————————

Ingredients

_____

_____

_____

_____

_____

_____

_____

_____

Method

_____

_____

_____

_____

_____

_____

_____

_____

Serving Suggestions/Remarks

_____

_____

_____

_____

_____

Recipe

Serves:_____ Equipment:_____

Cooking Times:_____

Oven Temperature:_____

Ingredients

_____
_____
_____
_____
_____
_____
_____

Method

_____
_____
_____
_____
_____
_____
_____
_____

Serving Suggestions/Remarks

_____
_____
_____
_____
_____

Recipe

SERVES:————————— EQUIPMENT:—————————

COOKING TIMES:————————————————

OVEN TEMPERATURE:————————————

Ingredients

_____

_____

_____

_____

_____

_____

_____

Method

_____

_____

_____

_____

_____

_____

Serving Suggestions/Remarks

_____

_____

_____

_____

Recipe

SERVES:——————— EQUIPMENT:———————

COOKING TIMES:———————

OVEN TEMPERATURE:———————

Ingredients

_____

_____

_____

_____

_____

_____

_____

_____

Method

_____

_____

_____

_____

_____

_____

_____

_____

_____

Serving Suggestions/Remarks

_____

_____

_____

_____

_____

Recipe

SERVES: _____   EQUIPMENT: _____

COOKING TIMES: _____

OVEN TEMPERATURE: _____

Ingredients

_____

_____

_____

_____

_____

_____

_____

_____

Method

_____

_____

_____

_____

_____

_____

_____

_____

Serving Suggestions/Remarks

_____

_____

_____

_____

_____

Recipe

SERVES: ——————————— EQUIPMENT: ———————————

COOKING TIMES: ———————————

OVEN TEMPERATURE: ———————————

Ingredients

_____

_____

_____

_____

_____

_____

_____

_____

Method

_____

_____

_____

_____

_____

_____

_____

_____

_____

Serving Suggestions/Remarks

_____

_____

_____

_____

_____

Recipe

Serves:_____ Equipment:_____

Cooking Times:_____

Oven Temperature:_____

Ingredients

_____

_____

_____

_____

_____

_____

_____

_____

Method

_____

_____

_____

_____

_____

_____

_____

_____

Serving Suggestions/Remarks

_____

_____

_____

_____

_____

Recipe

SERVES:———————————EQUIPMENT:————————————

COOKING TIMES:————————————————————————

OVEN TEMPERATURE:————————————————————

Ingredients

———————————————————————————————
———————————————————————————————
———————————————————————————————
———————————————————————————————
———————————————————————————————
———————————————————————————————
———————————————————————————————
———————————————————————————————

Method

———————————————————————————————
———————————————————————————————
———————————————————————————————
———————————————————————————————
———————————————————————————————
———————————————————————————————
———————————————————————————————
———————————————————————————————
———————————————————————————————

Serving Suggestions/Remarks

———————————————————————————————
———————————————————————————————
———————————————————————————————
———————————————————————————————
———————————————————————————————

Recipe

SERVES:_____ EQUIPMENT:_____

COOKING TIMES:_____

OVEN TEMPERATURE:_____

Ingredients

_____

_____

_____

_____

_____

_____

_____

_____

_____

Method

_____

_____

_____

_____

_____

_____

_____

_____

Serving Suggestions/Remarks

_____

_____

_____

_____

_____

Recipe

SERVES: _____ EQUIPMENT: _____

COOKING TIMES: _____

OVEN TEMPERATURE: _____

Ingredients

_____
_____
_____
_____
_____
_____
_____
_____

Method

_____
_____
_____
_____
_____
_____
_____
_____

Serving Suggestions/Remarks

_____
_____
_____
_____
_____

Recipe

SERVES: _____ EQUIPMENT: _____

COOKING TIMES: _____

OVEN TEMPERATURE: _____

Ingredients

_____

_____

_____

_____

_____

_____

_____

Method

_____

_____

_____

_____

_____

_____

_____

_____

Serving Suggestions/Remarks

_____

_____

_____

_____

_____

Recipe

SERVES:_____ EQUIPMENT:_____

COOKING TIMES:_____

OVEN TEMPERATURE:_____

Ingredients

_____

_____

_____

_____

_____

_____

_____

_____

Method

_____

_____

_____

_____

_____

_____

_____

_____

Serving Suggestions/Remarks

_____

_____

_____

_____

_____

Recipe

Serves:————————————— Equipment:—————————————

Cooking Times:———————————————————————————

Oven Temperature:———————————————————————

Ingredients

————————————————————————————————————
————————————————————————————————————
————————————————————————————————————
————————————————————————————————————
————————————————————————————————————
————————————————————————————————————
————————————————————————————————————

Method

————————————————————————————————————
————————————————————————————————————
————————————————————————————————————
————————————————————————————————————
————————————————————————————————————
————————————————————————————————————
————————————————————————————————————
————————————————————————————————————
————————————————————————————————————

Serving Suggestions/Remarks

————————————————————————————————————
————————————————————————————————————
————————————————————————————————————
————————————————————————————————————
————————————————————————————————————

Recipe

SERVES: _____ EQUIPMENT: _____

COOKING TIMES: _____

OVEN TEMPERATURE: _____

Ingredients

_____

_____

_____

_____

_____

_____

_____

_____

Method

_____

_____

_____

_____

_____

_____

_____

_____

Serving Suggestions/Remarks

_____

_____

_____

_____

_____

_____

Recipe

Serves: —————————— Equipment: ——————————
Cooking Times: ——————————————————————
Oven Temperature: ——————————————————————

Ingredients

————————————————————————————————
————————————————————————————————
————————————————————————————————
————————————————————————————————
————————————————————————————————
————————————————————————————————
————————————————————————————————

Method

————————————————————————————————
————————————————————————————————
————————————————————————————————
————————————————————————————————
————————————————————————————————
————————————————————————————————
————————————————————————————————
————————————————————————————————
————————————————————————————————

Serving Suggestions/Remarks

————————————————————————————————
————————————————————————————————
————————————————————————————————
————————————————————————————————
————————————————————————————————

Fish

*'Fish, to taste right, must swim three times
– in water, in butter, and in wine.'*
POLISH PROVERB

Recipe

SERVES:——————————— EQUIPMENT:———————————

COOKING TIMES:——————————————————————

OVEN TEMPERATURE:——————————————————————

Ingredients

——————————————————————————————

——————————————————————————————

——————————————————————————————

——————————————————————————————

——————————————————————————————

——————————————————————————————

——————————————————————————————

Method

——————————————————————————————

——————————————————————————————

——————————————————————————————

——————————————————————————————

——————————————————————————————

——————————————————————————————

——————————————————————————————

——————————————————————————————

Serving Suggestions/Remarks

——————————————————————————————

——————————————————————————————

——————————————————————————————

——————————————————————————————

——————————————————————————————

Recipe

SERVES:————————— EQUIPMENT:—————————

COOKING TIMES:——————————————————

OVEN TEMPERATURE:——————————————

Ingredients

————————————————————————————

————————————————————————————

————————————————————————————

————————————————————————————

————————————————————————————

————————————————————————————

————————————————————————————

————————————————————————————

Method

————————————————————————————

————————————————————————————

————————————————————————————

————————————————————————————

————————————————————————————

————————————————————————————

————————————————————————————

————————————————————————————

Serving Suggestions/Remarks

————————————————————————————

————————————————————————————

————————————————————————————

————————————————————————————

————————————————————————————

Recipe

SERVES: _____ EQUIPMENT: _____

COOKING TIMES: _____

OVEN TEMPERATURE: _____

Ingredients

_____

_____

_____

_____

_____

_____

_____

Method

_____

_____

_____

_____

_____

_____

_____

_____

Serving Suggestions/Remarks

_____

_____

_____

_____

_____

Recipe

SERVES:_____ EQUIPMENT:_____

COOKING TIMES:_____

OVEN TEMPERATURE:_____

Ingredients

_____
_____
_____
_____
_____
_____
_____
_____

Method

_____
_____
_____
_____
_____
_____
_____
_____

Serving Suggestions/Remarks

_____
_____
_____
_____
_____

Recipe

SERVES: _____ EQUIPMENT: _____

COOKING TIMES: _____

OVEN TEMPERATURE: _____

Ingredients

_____

_____

_____

_____

_____

_____

_____

Method

_____

_____

_____

_____

_____

_____

_____

Serving Suggestions/Remarks

_____

_____

_____

_____

_____

Recipe

SERVES: ——————————— EQUIPMENT: ———————————

COOKING TIMES: ————————————————————————

OVEN TEMPERATURE: ———————————————————————

Ingredients

————————————————————————————————
————————————————————————————————
————————————————————————————————
————————————————————————————————
————————————————————————————————
————————————————————————————————
————————————————————————————————
————————————————————————————————

Method

————————————————————————————————
————————————————————————————————
————————————————————————————————
————————————————————————————————
————————————————————————————————
————————————————————————————————
————————————————————————————————

Serving Suggestions/Remarks

————————————————————————————————
————————————————————————————————
————————————————————————————————
————————————————————————————————
————————————————————————————————

Recipe

SERVES:＿＿＿＿＿＿＿＿＿＿＿＿＿ EQUIPMENT:＿＿＿＿＿＿＿＿＿＿＿

COOKING TIMES:＿＿＿＿＿＿＿＿＿＿＿＿＿＿＿＿＿＿＿＿＿＿

OVEN TEMPERATURE:＿＿＿＿＿＿＿＿＿＿＿＿＿＿＿＿＿＿＿

Ingredients

＿＿＿＿＿＿＿＿＿＿＿＿＿＿＿＿＿＿＿＿＿＿＿＿＿＿＿＿＿＿

＿＿＿＿＿＿＿＿＿＿＿＿＿＿＿＿＿＿＿＿＿＿＿＿＿＿＿＿＿＿

＿＿＿＿＿＿＿＿＿＿＿＿＿＿＿＿＿＿＿＿＿＿＿＿＿＿＿＿＿＿

＿＿＿＿＿＿＿＿＿＿＿＿＿＿＿＿＿＿＿＿＿＿＿＿＿＿＿＿＿＿

＿＿＿＿＿＿＿＿＿＿＿＿＿＿＿＿＿＿＿＿＿＿＿＿＿＿＿＿＿＿

＿＿＿＿＿＿＿＿＿＿＿＿＿＿＿＿＿＿＿＿＿＿＿＿＿＿＿＿＿＿

＿＿＿＿＿＿＿＿＿＿＿＿＿＿＿＿＿＿＿＿＿＿＿＿＿＿＿＿＿＿

＿＿＿＿＿＿＿＿＿＿＿＿＿＿＿＿＿＿＿＿＿＿＿＿＿＿＿＿＿＿

Method

＿＿＿＿＿＿＿＿＿＿＿＿＿＿＿＿＿＿＿＿＿＿＿＿＿＿＿＿＿＿

＿＿＿＿＿＿＿＿＿＿＿＿＿＿＿＿＿＿＿＿＿＿＿＿＿＿＿＿＿＿

＿＿＿＿＿＿＿＿＿＿＿＿＿＿＿＿＿＿＿＿＿＿＿＿＿＿＿＿＿＿

＿＿＿＿＿＿＿＿＿＿＿＿＿＿＿＿＿＿＿＿＿＿＿＿＿＿＿＿＿＿

＿＿＿＿＿＿＿＿＿＿＿＿＿＿＿＿＿＿＿＿＿＿＿＿＿＿＿＿＿＿

＿＿＿＿＿＿＿＿＿＿＿＿＿＿＿＿＿＿＿＿＿＿＿＿＿＿＿＿＿＿

＿＿＿＿＿＿＿＿＿＿＿＿＿＿＿＿＿＿＿＿＿＿＿＿＿＿＿＿＿＿

＿＿＿＿＿＿＿＿＿＿＿＿＿＿＿＿＿＿＿＿＿＿＿＿＿＿＿＿＿＿

Serving Suggestions/Remarks

＿＿＿＿＿＿＿＿＿＿＿＿＿＿＿＿＿＿＿＿＿＿＿＿＿＿＿＿＿＿

＿＿＿＿＿＿＿＿＿＿＿＿＿＿＿＿＿＿＿＿＿＿＿＿＿＿＿＿＿＿

＿＿＿＿＿＿＿＿＿＿＿＿＿＿＿＿＿＿＿＿＿＿＿＿＿＿＿＿＿＿

＿＿＿＿＿＿＿＿＿＿＿＿＿＿＿＿＿＿＿＿＿＿＿＿＿＿＿＿＿＿

＿＿＿＿＿＿＿＿＿＿＿＿＿＿＿＿＿＿＿＿＿＿＿＿＿＿＿＿＿＿

Recipe

SERVES:———————————— EQUIPMENT:————————

COOKING TIMES:—————————————————————

OVEN TEMPERATURE:—————————————————————

Ingredients

_____
_____
_____
_____
_____
_____
_____

Method

_____
_____
_____
_____
_____
_____
_____
_____

Serving Suggestions/Remarks

_____
_____
_____
_____
_____

Recipe

SERVES: ——————————— EQUIPMENT: ———————————

COOKING TIMES: ———————————————————————

OVEN TEMPERATURE: ———————————————————

Ingredients

———————————————————————————————
———————————————————————————————
———————————————————————————————
———————————————————————————————
———————————————————————————————
———————————————————————————————
———————————————————————————————

Method

———————————————————————————————
———————————————————————————————
———————————————————————————————
———————————————————————————————
———————————————————————————————
———————————————————————————————
———————————————————————————————
———————————————————————————————

Serving Suggestions/Remarks

———————————————————————————————
———————————————————————————————
———————————————————————————————
———————————————————————————————

Recipe

Serves:——————————— Equipment:———————————

Cooking Times:————————————————————————

Oven Temperature:————————————————————————

Ingredients

———————————————————————————————————
———————————————————————————————————
———————————————————————————————————
———————————————————————————————————
———————————————————————————————————
———————————————————————————————————
———————————————————————————————————
———————————————————————————————————

Method

———————————————————————————————————
———————————————————————————————————
———————————————————————————————————
———————————————————————————————————
———————————————————————————————————
———————————————————————————————————
———————————————————————————————————
———————————————————————————————————
———————————————————————————————————

Serving Suggestions/Remarks

———————————————————————————————————
———————————————————————————————————
———————————————————————————————————
———————————————————————————————————
———————————————————————————————————

Recipe

SERVES:——————— EQUIPMENT:———————

COOKING TIMES:———————————————

OVEN TEMPERATURE:———————————————

Ingredients

_____
_____
_____
_____
_____
_____
_____

Method

_____
_____
_____
_____
_____
_____
_____
_____

Serving Suggestions/Remarks

_____
_____
_____
_____

Recipe

SERVES:————————— EQUIPMENT:—————————

COOKING TIMES:———————————————————

OVEN TEMPERATURE:————————————————

Ingredients

_____
_____
_____
_____
_____
_____
_____
_____

Method

_____
_____
_____
_____
_____
_____
_____
_____

Serving Suggestions/Remarks

_____
_____
_____
_____
_____

Recipe

SERVES: ———————— EQUIPMENT: ————————

COOKING TIMES: ————————————————

OVEN TEMPERATURE: ————————————

Ingredients

———————————————————————
———————————————————————
———————————————————————
———————————————————————
———————————————————————
———————————————————————
———————————————————————

Method

———————————————————————
———————————————————————
———————————————————————
———————————————————————
———————————————————————
———————————————————————
———————————————————————

Serving Suggestions/Remarks

———————————————————————
———————————————————————
———————————————————————
———————————————————————
———————————————————————

Recipe

Serves:_____ Equipment:_____

Cooking Times:_____

Oven Temperature:_____

Ingredients

_____
_____
_____
_____
_____
_____
_____
_____

Method

_____
_____
_____
_____
_____
_____
_____

Serving Suggestions/Remarks

_____
_____
_____
_____
_____

Recipe

SERVES: ———————— EQUIPMENT: ————————

COOKING TIMES: ————————————————

OVEN TEMPERATURE: ——————————————

Ingredients

————————————————————————
————————————————————————
————————————————————————
————————————————————————
————————————————————————
————————————————————————
————————————————————————

Method

————————————————————————
————————————————————————
————————————————————————
————————————————————————
————————————————————————
————————————————————————
————————————————————————

Serving Suggestions/Remarks

————————————————————————
————————————————————————
————————————————————————
————————————————————————
————————————————————————

Recipe

Serves:_____ Equipment:_____

Cooking Times:_____

Oven Temperature:_____

Ingredients

_____
_____
_____
_____
_____
_____
_____
_____
_____

Method

_____
_____
_____
_____
_____
_____
_____
_____

Serving Suggestions/Remarks

_____
_____
_____
_____
_____

Recipe

SERVES: _____ EQUIPMENT: _____

COOKING TIMES: _____

OVEN TEMPERATURE: _____

Ingredients

_____

_____

_____

_____

_____

_____

_____

Method

_____

_____

_____

_____

_____

_____

_____

Serving Suggestions/Remarks

_____

_____

_____

_____

_____

Recipe

SERVES:_____ EQUIPMENT:_____

COOKING TIMES:_____

OVEN TEMPERATURE:_____

Ingredients

_____

_____

_____

_____

_____

_____

_____

Method

_____

_____

_____

_____

_____

_____

_____

_____

Serving Suggestions/Remarks

_____

_____

_____

_____

_____

Recipe

SERVES:_____ EQUIPMENT:_____

COOKING TIMES:_____

OVEN TEMPERATURE:_____

Ingredients

_____

_____

_____

_____

_____

_____

_____

Method

_____

_____

_____

_____

_____

_____

_____

_____

Serving Suggestions/Remarks

_____

_____

_____

_____

_____

Recipe

Serves:_____ Equipment:_____

Cooking Times:_____

Oven Temperature:_____

Ingredients

_____

_____

_____

_____

_____

_____

_____

_____

Method

_____

_____

_____

_____

_____

_____

_____

_____

_____

Serving Suggestions/Remarks

_____

_____

_____

_____

_____

Recipe

SERVES:—————————— EQUIPMENT:————————————

COOKING TIMES:———————————————————————

OVEN TEMPERATURE:—————————————————————

Ingredients

————————————————————————————————————

————————————————————————————————————

————————————————————————————————————

————————————————————————————————————

————————————————————————————————————

————————————————————————————————————

————————————————————————————————————

————————————————————————————————————

Method

————————————————————————————————————

————————————————————————————————————

————————————————————————————————————

————————————————————————————————————

————————————————————————————————————

————————————————————————————————————

————————————————————————————————————

————————————————————————————————————

Serving Suggestions/Remarks

————————————————————————————————————

————————————————————————————————————

————————————————————————————————————

————————————————————————————————————

————————————————————————————————————

Meat & Poultry

'You first parents of the human race ... who ruined yourself
for an apple,
what might you not have done for a truffled turkey?'
ANTHELME BRILLAT-SAVARIN (1755-1826)

Recipe

SERVES:_____ EQUIPMENT:_____

COOKING TIMES:_____

OVEN TEMPERATURE:_____

Ingredients

_____

_____

_____

_____

_____

_____

_____

Method

_____

_____

_____

_____

_____

_____

_____

_____

Serving Suggestions/Remarks

_____

_____

_____

_____

_____

Recipe

SERVES:—————————— EQUIPMENT:——————————
COOKING TIMES:——————————————————
OVEN TEMPERATURE:————————————————

Ingredients

——————————————————————
——————————————————————
——————————————————————
——————————————————————
——————————————————————
——————————————————————
——————————————————————

Method

——————————————————————
——————————————————————
——————————————————————
——————————————————————
——————————————————————
——————————————————————
——————————————————————

Serving Suggestions/Remarks

——————————————————————
——————————————————————
——————————————————————
——————————————————————

Recipe

SERVES:——————————— EQUIPMENT:———————————

COOKING TIMES:————————————————————

OVEN TEMPERATURE:————————————————

Ingredients

————————————————————————

————————————————————————

————————————————————————

————————————————————————

————————————————————————

————————————————————————

————————————————————————

————————————————————————

Method

————————————————————————

————————————————————————

————————————————————————

————————————————————————

————————————————————————

————————————————————————

————————————————————————

————————————————————————

Serving Suggestions/Remarks

————————————————————————

————————————————————————

————————————————————————

————————————————————————

————————————————————————

Recipe

SERVES: ——————— EQUIPMENT: ———————

COOKING TIMES: ————————————————

OVEN TEMPERATURE: ——————————————

Ingredients

_____

_____

_____

_____

_____

_____

_____

_____

Method

_____

_____

_____

_____

_____

_____

_____

_____

_____

Serving Suggestions/Remarks

_____

_____

_____

_____

_____

_____

Recipe

SERVES:————————— EQUIPMENT:—————————

COOKING TIMES:—————————

OVEN TEMPERATURE:—————————

Ingredients

———————————————————
———————————————————
———————————————————
———————————————————
———————————————————
———————————————————
———————————————————

Method

———————————————————
———————————————————
———————————————————
———————————————————
———————————————————
———————————————————
———————————————————

Serving Suggestions/Remarks

———————————————————
———————————————————
———————————————————
———————————————————
———————————————————

Recipe

SERVES:———————— EQUIPMENT:————————

COOKING TIMES:————————————————

OVEN TEMPERATURE:————————————

Ingredients

_____
_____
_____
_____
_____
_____
_____

Method

_____
_____
_____
_____
_____
_____
_____
_____

Serving Suggestions/Remarks

_____
_____
_____
_____
_____

Recipe

SERVES:———————— EQUIPMENT:————————

COOKING TIMES:————————

OVEN TEMPERATURE:————————

Ingredients

_____

_____

_____

_____

_____

_____

_____

Method

_____

_____

_____

_____

_____

_____

_____

_____

Serving Suggestions/Remarks

_____

_____

_____

_____

Recipe

SERVES:_____   EQUIPMENT:_____

COOKING TIMES:_____

OVEN TEMPERATURE:_____

Ingredients

_____
_____
_____
_____
_____
_____
_____
_____

Method

_____
_____
_____
_____
_____
_____
_____
_____
_____

Serving Suggestions/Remarks

_____
_____
_____
_____
_____

Recipe

SERVES:_____ EQUIPMENT:_____

COOKING TIMES:_____

OVEN TEMPERATURE:_____

Ingredients

_____

_____

_____

_____

_____

_____

_____

Method

_____

_____

_____

_____

_____

_____

_____

Serving Suggestions/Remarks

_____

_____

_____

_____

_____

Recipe

SERVES:———————— EQUIPMENT:————————

COOKING TIMES:————————————————————

OVEN TEMPERATURE:———————————————————

Ingredients

———————————————————————
———————————————————————
———————————————————————
———————————————————————
———————————————————————
———————————————————————
———————————————————————

Method

———————————————————————
———————————————————————
———————————————————————
———————————————————————
———————————————————————
———————————————————————
———————————————————————
———————————————————————

Serving Suggestions/Remarks

———————————————————————
———————————————————————
———————————————————————
———————————————————————
———————————————————————

Recipe

Serves:_____ Equipment:_____

Cooking Times:_____

Oven Temperature:_____

Ingredients

_____

_____

_____

_____

_____

_____

_____

Method

_____

_____

_____

_____

_____

_____

_____

_____

_____

Serving Suggestions/Remarks

_____

_____

_____

_____

_____

Recipe

SERVES:_____ EQUIPMENT:_____

COOKING TIMES:_____

OVEN TEMPERATURE:_____

Ingredients

_____

_____

_____

_____

_____

_____

_____

Method

_____

_____

_____

_____

_____

_____

_____

_____

Serving Suggestions/Remarks

_____

_____

_____

_____

_____

Recipe

SERVES: ———————— EQUIPMENT: ————————

COOKING TIMES: ————————

OVEN TEMPERATURE: ————————

Ingredients

————————————————————

————————————————————

————————————————————

————————————————————

————————————————————

————————————————————

————————————————————

Method

————————————————————

————————————————————

————————————————————

————————————————————

————————————————————

————————————————————

————————————————————

————————————————————

Serving Suggestions/Remarks

————————————————————

————————————————————

————————————————————

————————————————————

Recipe

SERVES:_____ EQUIPMENT:_____

COOKING TIMES:_____

OVEN TEMPERATURE:_____

Ingredients

_____

_____

_____

_____

_____

_____

_____

_____

_____

Method

_____

_____

_____

_____

_____

_____

_____

_____

_____

_____

Serving Suggestions/Remarks

_____

_____

_____

_____

_____

_____

Recipe

SERVES:_____ EQUIPMENT:_____

COOKING TIMES:_____

OVEN TEMPERATURE:_____

Ingredients

_____

_____

_____

_____

_____

_____

_____

Method

_____

_____

_____

_____

_____

_____

_____

_____

Serving Suggestions/Remarks

_____

_____

_____

_____

_____

Recipe

SERVES:———————— EQUIPMENT:————————

COOKING TIMES:————————————

OVEN TEMPERATURE:————————————

Ingredients

————————————————————
————————————————————
————————————————————
————————————————————
————————————————————
————————————————————
————————————————————

Method

————————————————————
————————————————————
————————————————————
————————————————————
————————————————————
————————————————————
————————————————————
————————————————————

Serving Suggestions/Remarks

————————————————————
————————————————————
————————————————————
————————————————————
————————————————————

Recipe

Serves:_____ Equipment:_____

Cooking Times:_____

Oven Temperature:_____

Ingredients

_____

_____

_____

_____

_____

_____

_____

_____

Method

_____

_____

_____

_____

_____

_____

_____

Serving Suggestions/Remarks

_____

_____

_____

_____

_____

Recipe

Serves: _____ Equipment: _____

Cooking Times: _____

Oven Temperature: _____

Ingredients

_____

_____

_____

_____

_____

_____

_____

_____

Method

_____

_____

_____

_____

_____

_____

_____

_____

Serving Suggestions/Remarks

_____

_____

_____

_____

_____

Recipe

SERVES:_____ EQUIPMENT:_____

COOKING TIMES:_____

OVEN TEMPERATURE:_____

Ingredients

_____

_____

_____

_____

_____

_____

_____

_____

Method

_____

_____

_____

_____

_____

_____

_____

_____

Serving Suggestions/Remarks

_____

_____

_____

_____

_____

Recipe

SERVES:_____ EQUIPMENT:_____

COOKING TIMES:_____

OVEN TEMPERATURE:_____

Ingredients

_____
_____
_____
_____
_____
_____
_____
_____

Method

_____
_____
_____
_____
_____
_____
_____
_____
_____

Serving Suggestions/Remarks

_____
_____
_____
_____
_____

Recipe

SERVES:_____ EQUIPMENT:_____

COOKING TIMES:_____

OVEN TEMPERATURE:_____

Ingredients

_____

_____

_____

_____

_____

_____

_____

Method

_____

_____

_____

_____

_____

_____

_____

_____

Serving Suggestions/Remarks

_____

_____

_____

_____

_____

Recipe

SERVES: _____ EQUIPMENT: _____

COOKING TIMES: _____

OVEN TEMPERATURE: _____

Ingredients

_____
_____
_____
_____
_____
_____
_____

Method

_____
_____
_____
_____
_____
_____
_____
_____
_____

Serving Suggestions/Remarks

_____
_____
_____
_____
_____

Recipe

Serves: ———————————— Equipment: ————————————

Cooking Times: ———————————————————————

Oven Temperature: ——————————————————————

Ingredients

——————————————————————————————

——————————————————————————————

——————————————————————————————

——————————————————————————————

——————————————————————————————

——————————————————————————————

——————————————————————————————

Method

——————————————————————————————

——————————————————————————————

——————————————————————————————

——————————————————————————————

——————————————————————————————

——————————————————————————————

——————————————————————————————

——————————————————————————————

Serving Suggestions/Remarks

——————————————————————————————

——————————————————————————————

——————————————————————————————

——————————————————————————————

——————————————————————————————

Vegetables & Salads

*'Let the salad-maker be a spendthrift for oil,
a miser for vinegar,
a statesman for the salt, and a madman for mixing.'*
SPANISH PROVERB

Recipe

SERVES:————————— EQUIPMENT:—————————

COOKING TIMES:—————————————————

OVEN TEMPERATURE:———————————————

Ingredients

_____

_____

_____

_____

_____

_____

_____

_____

Method

_____

_____

_____

_____

_____

_____

_____

_____

Serving Suggestions/Remarks

_____

_____

_____

_____

_____

Recipe

Serves:_____ Equipment:_____

Cooking Times:_____

Oven Temperature:_____

Ingredients

_____

_____

_____

_____

_____

_____

_____

_____

Method

_____

_____

_____

_____

_____

_____

_____

_____

Serving Suggestions/Remarks

_____

_____

_____

_____

_____

Recipe

SERVES:_____ EQUIPMENT:_____

COOKING TIMES:_____

OVEN TEMPERATURE:_____

Ingredients

_____

_____

_____

_____

_____

_____

_____

Method

_____

_____

_____

_____

_____

_____

_____

_____

Serving Suggestions/Remarks

_____

_____

_____

_____

_____

Recipe

Serves:———————— Equipment:————————

Cooking Times:————————————————

Oven Temperature:————————————————

Ingredients

————————————————————
————————————————————
————————————————————
————————————————————
————————————————————
————————————————————
————————————————————
————————————————————

Method

————————————————————
————————————————————
————————————————————
————————————————————
————————————————————
————————————————————
————————————————————
————————————————————

Serving Suggestions/Remarks

————————————————————
————————————————————
————————————————————
————————————————————
————————————————————

Recipe

SERVES:—————————— EQUIPMENT:——————————

COOKING TIMES:——————————

OVEN TEMPERATURE:——————————

Ingredients

_____

_____

_____

_____

_____

_____

_____

Method

_____

_____

_____

_____

_____

_____

_____

_____

Serving Suggestions/Remarks

_____

_____

_____

_____

Recipe

SERVES:_____ EQUIPMENT:_____

COOKING TIMES:_____

OVEN TEMPERATURE:_____

Ingredients

_____
_____
_____
_____
_____
_____
_____
_____

Method

_____
_____
_____
_____
_____
_____
_____
_____
_____

Serving Suggestions/Remarks

_____
_____
_____
_____
_____

Recipe

Serves:_____ Equipment:_____

Cooking Times:_____

Oven Temperature:_____

Ingredients

_____

_____

_____

_____

_____

_____

_____

Method

_____

_____

_____

_____

_____

_____

_____

Serving Suggestions/Remarks

_____

_____

_____

_____

_____

Recipe

SERVES: ——————————— EQUIPMENT: ———————————

COOKING TIMES: ————————————————————

OVEN TEMPERATURE: ————————————————

Ingredients

———————————————————————————
———————————————————————————
———————————————————————————
———————————————————————————
———————————————————————————
———————————————————————————
———————————————————————————
———————————————————————————

Method

———————————————————————————
———————————————————————————
———————————————————————————
———————————————————————————
———————————————————————————
———————————————————————————
———————————————————————————
———————————————————————————
———————————————————————————

Serving Suggestions/Remarks

———————————————————————————
———————————————————————————
———————————————————————————
———————————————————————————
———————————————————————————

Recipe

SERVES: _____ EQUIPMENT: _____

COOKING TIMES: _____

OVEN TEMPERATURE: _____

Ingredients

_____
_____
_____
_____
_____
_____
_____
_____

Method

_____
_____
_____
_____
_____
_____
_____
_____

Serving Suggestions/Remarks

_____
_____
_____
_____
_____

Recipe

SERVES:————————— EQUIPMENT:—————————

COOKING TIMES:—————————————————

OVEN TEMPERATURE:—————————————————

Ingredients

——————————————————————
——————————————————————
——————————————————————
——————————————————————
——————————————————————
——————————————————————
——————————————————————
——————————————————————

Method

——————————————————————
——————————————————————
——————————————————————
——————————————————————
——————————————————————
——————————————————————
——————————————————————
——————————————————————
——————————————————————

Serving Suggestions/Remarks

——————————————————————
——————————————————————
——————————————————————
——————————————————————
——————————————————————

Recipe

SERVES:_____ EQUIPMENT:_____

COOKING TIMES:_____

OVEN TEMPERATURE:_____

Ingredients

_____

_____

_____

_____

_____

_____

_____

_____

Method

_____

_____

_____

_____

_____

_____

_____

_____

_____

Serving Suggestions/Remarks

_____

_____

_____

_____

_____

Recipe

SERVES:_____ EQUIPMENT:_____

COOKING TIMES:_____

OVEN TEMPERATURE:_____

Ingredients

_____

_____

_____

_____

_____

_____

_____

_____

Method

_____

_____

_____

_____

_____

_____

_____

_____

_____

Serving Suggestions/Remarks

_____

_____

_____

_____

_____

Recipe

SERVES:_____ EQUIPMENT:_____

COOKING TIMES:_____

OVEN TEMPERATURE:_____

Ingredients

_____

_____

_____

_____

_____

_____

_____

_____

Method

_____

_____

_____

_____

_____

_____

_____

_____

_____

_____

Serving Suggestions/Remarks

_____

_____

_____

_____

_____

Recipe

SERVES:_____ EQUIPMENT:_____

COOKING TIMES:_____

OVEN TEMPERATURE:_____

Ingredients

_____
_____
_____
_____
_____
_____
_____
_____

Method

_____
_____
_____
_____
_____
_____
_____
_____
_____

Serving Suggestions/Remarks

_____
_____
_____
_____
_____

Recipe

SERVES:——————————— EQUIPMENT:———————————

COOKING TIMES:———————————————————————

OVEN TEMPERATURE:—————————————————————

Ingredients

_____

_____

_____

_____

_____

_____

_____

Method

_____

_____

_____

_____

_____

_____

_____

_____

Serving Suggestions/Remarks

_____

_____

_____

_____

_____

Recipe

Serves:_____ Equipment:_____

Cooking Times:_____

Oven Temperature:_____

Ingredients

_____
_____
_____
_____
_____
_____
_____

Method

_____
_____
_____
_____
_____
_____
_____
_____

Serving Suggestions/Remarks

_____
_____
_____
_____
_____

Recipe

Serves:—————————— Equipment:——————————

Cooking Times:——————————————————

Oven Temperature:—————————————————

Ingredients

——————————————————————————
——————————————————————————
——————————————————————————
——————————————————————————
——————————————————————————
——————————————————————————
——————————————————————————
——————————————————————————

Method

——————————————————————————
——————————————————————————
——————————————————————————
——————————————————————————
——————————————————————————
——————————————————————————
——————————————————————————
——————————————————————————

Serving Suggestions/Remarks

——————————————————————————
——————————————————————————
——————————————————————————
——————————————————————————
——————————————————————————

Recipe

SERVES:————————— EQUIPMENT:—————————

COOKING TIMES:————————————————————

OVEN TEMPERATURE:————————————————————

Ingredients

_____
_____
_____
_____
_____
_____
_____

Method

_____
_____
_____
_____
_____
_____
_____
_____

Serving Suggestions/Remarks

_____
_____
_____
_____

Recipe

Serves:_____ Equipment:_____

Cooking Times:_____

Oven Temperature:_____

Ingredients

_____

_____

_____

_____

_____

_____

_____

Method

_____

_____

_____

_____

_____

_____

_____

_____

Serving Suggestions/Remarks

_____

_____

_____

_____

_____

Recipe

SERVES:————————— EQUIPMENT:—————————

COOKING TIMES:—————————————————

OVEN TEMPERATURE:————————————————

Ingredients

_____

_____

_____

_____

_____

_____

_____

Method

_____

_____

_____

_____

_____

_____

_____

_____

Serving Suggestions/Remarks

_____

_____

_____

_____

Recipe

SERVES: _____ EQUIPMENT: _____

COOKING TIMES: _____

OVEN TEMPERATURE: _____

Ingredients

_____

_____

_____

_____

_____

_____

_____

Method

_____

_____

_____

_____

_____

_____

_____

_____

Serving Suggestions/Remarks

_____

_____

_____

_____

_____

Recipe

Serves: _____ Equipment: _____

Cooking Times: _____

Oven Temperature: _____

Ingredients

_____

_____

_____

_____

_____

_____

_____

_____

Method

_____

_____

_____

_____

_____

_____

_____

_____

_____

Serving Suggestions/Remarks

_____

_____

_____

_____

_____

Recipe

SERVES: _____ EQUIPMENT: _____

COOKING TIMES: _____

OVEN TEMPERATURE: _____

Ingredients

_____

_____

_____

_____

_____

_____

_____

Method

_____

_____

_____

_____

_____

_____

_____

Serving Suggestions/Remarks

_____

_____

_____

_____

_____

Desserts

'Dinner is, like life, a curve:
it starts off with the lightest courses, rises to the heavier,
and concludes once more with the light.'
NOVALIS (FREDERICH VON HARDENBERG, 1772-1801)

Recipe

SERVES: _____ EQUIPMENT: _____

COOKING TIMES: _____

OVEN TEMPERATURE: _____

Ingredients

_____

_____

_____

_____

_____

_____

_____

Method

_____

_____

_____

_____

_____

_____

_____

Serving Suggestions/Remarks

_____

_____

_____

_____

_____

Recipe

SERVES:————————— EQUIPMENT:——————————

COOKING TIMES:———————————————————

OVEN TEMPERATURE:————————————————

Ingredients

_____
_____
_____
_____
_____
_____
_____
_____
_____

Method

_____
_____
_____
_____
_____
_____
_____
_____
_____

Serving Suggestions/Remarks

_____
_____
_____
_____
_____

Recipe

SERVES:————————————— EQUIPMENT:—————————————

COOKING TIMES:—————————————————————————

OVEN TEMPERATURE:—————————————————————

Ingredients

—————————————————————————————
—————————————————————————————
—————————————————————————————
—————————————————————————————
—————————————————————————————
—————————————————————————————
—————————————————————————————
—————————————————————————————

Method

—————————————————————————————
—————————————————————————————
—————————————————————————————
—————————————————————————————
—————————————————————————————
—————————————————————————————
—————————————————————————————
—————————————————————————————

Serving Suggestions/Remarks

—————————————————————————————
—————————————————————————————
—————————————————————————————
—————————————————————————————
—————————————————————————————

Recipe

SERVES: _____ EQUIPMENT: _____

COOKING TIMES: _____

OVEN TEMPERATURE: _____

Ingredients

_____

_____

_____

_____

_____

_____

_____

_____

Method

_____

_____

_____

_____

_____

_____

_____

_____

Serving Suggestions/Remarks

_____

_____

_____

_____

_____

Recipe

SERVES:_____ EQUIPMENT:_____

COOKING TIMES:_____

OVEN TEMPERATURE:_____

Ingredients

_____

_____

_____

_____

_____

_____

_____

_____

Method

_____

_____

_____

_____

_____

_____

_____

_____

Serving Suggestions/Remarks

_____

_____

_____

_____

_____

Recipe

SERVES:————————— EQUIPMENT:—————————

COOKING TIMES:——————————————————

OVEN TEMPERATURE:—————————————————

Ingredients

————————————————————
————————————————————
————————————————————
————————————————————
————————————————————
————————————————————
————————————————————

Method

————————————————————
————————————————————
————————————————————
————————————————————
————————————————————
————————————————————
————————————————————
————————————————————

Serving Suggestions/Remarks

————————————————————
————————————————————
————————————————————
————————————————————
————————————————————

Recipe

Serves:——————————— Equipment:————————————

Cooking Times:————————————————————————

Oven Temperature:————————————————————————

Ingredients

_____

_____

_____

_____

_____

_____

_____

_____

Method

_____

_____

_____

_____

_____

_____

_____

_____

Serving Suggestions/Remarks

_____

_____

_____

_____

_____

Recipe

SERVES: _____ EQUIPMENT: _____

COOKING TIMES: _____

OVEN TEMPERATURE: _____

Ingredients

_____

_____

_____

_____

_____

_____

_____

Method

_____

_____

_____

_____

_____

_____

_____

Serving Suggestions/Remarks

_____

_____

_____

_____

_____

Recipe

SERVES: ——————— EQUIPMENT: ———————
COOKING TIMES: ——————————————
OVEN TEMPERATURE: ——————————————

Ingredients

——————————————————————
——————————————————————
——————————————————————
——————————————————————
——————————————————————
——————————————————————
——————————————————————
——————————————————————

Method

——————————————————————
——————————————————————
——————————————————————
——————————————————————
——————————————————————
——————————————————————
——————————————————————
——————————————————————

Serving Suggestions/Remarks

——————————————————————
——————————————————————
——————————————————————
——————————————————————
——————————————————————

Recipe

SERVES: _____ EQUIPMENT: _____

COOKING TIMES: _____

OVEN TEMPERATURE: _____

Ingredients

_____

_____

_____

_____

_____

_____

_____

Method

_____

_____

_____

_____

_____

_____

_____

Serving Suggestions/Remarks

_____

_____

_____

_____

_____

Recipe

SERVES: _____ EQUIPMENT: _____

COOKING TIMES: _____

OVEN TEMPERATURE: _____

Ingredients

_____

_____

_____

_____

_____

_____

_____

_____

Method

_____

_____

_____

_____

_____

_____

_____

_____

Serving Suggestions/Remarks

_____

_____

_____

_____

_____

Recipe

SERVES:_____ EQUIPMENT:_____

COOKING TIMES:_____

OVEN TEMPERATURE:_____

Ingredients

_____
_____
_____
_____
_____
_____
_____
_____

Method

_____
_____
_____
_____
_____
_____
_____
_____

Serving Suggestions/Remarks

_____
_____
_____
_____
_____

Recipe

SERVES:_____ EQUIPMENT:_____

COOKING TIMES:_____

OVEN TEMPERATURE:_____

Ingredients

_____

_____

_____

_____

_____

_____

_____

_____

Method

_____

_____

_____

_____

_____

_____

_____

_____

Serving Suggestions/Remarks

_____

_____

_____

_____

_____

Recipe

SERVES:_____ EQUIPMENT:_____

COOKING TIMES:_____

OVEN TEMPERATURE:_____

Ingredients

_____
_____
_____
_____
_____
_____
_____
_____

Method

_____
_____
_____
_____
_____
_____
_____
_____
_____

Serving Suggestions/Remarks

_____
_____
_____
_____
_____
_____

Recipe

SERVES: _____ EQUIPMENT: _____

COOKING TIMES: _____

OVEN TEMPERATURE: _____

Ingredients

_____
_____
_____
_____
_____
_____
_____
_____

Method

_____
_____
_____
_____
_____
_____
_____
_____

Serving Suggestions/Remarks

_____
_____
_____
_____
_____

Recipe

SERVES: _____ EQUIPMENT: _____

COOKING TIMES: _____

OVEN TEMPERATURE: _____

Ingredients

_____
_____
_____
_____
_____
_____
_____
_____

Method

_____
_____
_____
_____
_____
_____
_____
_____

Serving Suggestions/Remarks

_____
_____
_____
_____
_____

Recipe

Serves:_____ Equipment:_____

Cooking Times:_____

Oven Temperature:_____

Ingredients

_____

_____

_____

_____

_____

_____

_____

Method

_____

_____

_____

_____

_____

_____

_____

_____

Serving Suggestions/Remarks

_____

_____

_____

_____

_____

Recipe

SERVES:———————————— EQUIPMENT:————————————

COOKING TIMES:——————————————————————

OVEN TEMPERATURE:——————————————————

Ingredients

————————————————————————————
————————————————————————————
————————————————————————————
————————————————————————————
————————————————————————————
————————————————————————————
————————————————————————————

Method

————————————————————————————
————————————————————————————
————————————————————————————
————————————————————————————
————————————————————————————
————————————————————————————
————————————————————————————

Serving Suggestions/Remarks

————————————————————————————
————————————————————————————
————————————————————————————
————————————————————————————
————————————————————————————

Recipe

SERVES:_____ EQUIPMENT:_____
COOKING TIMES:_____
OVEN TEMPERATURE:_____

Ingredients

_____
_____
_____
_____
_____
_____
_____
_____

Method

_____
_____
_____
_____
_____
_____
_____
_____

Serving Suggestions/Remarks

_____
_____
_____
_____
_____

Recipe

Serves: _____ Equipment: _____

Cooking Times: _____

Oven Temperature: _____

Ingredients

_____

_____

_____

_____

_____

_____

_____

Method

_____

_____

_____

_____

_____

_____

_____

_____

Serving Suggestions/Remarks

_____

_____

_____

_____

_____

Recipe

SERVES: _____ EQUIPMENT: _____

COOKING TIMES: _____

OVEN TEMPERATURE: _____

Ingredients

_____

_____

_____

_____

_____

_____

_____

Method

_____

_____

_____

_____

_____

_____

_____

_____

Serving Suggestions/Remarks

_____

_____

_____

_____

_____

Weights & Measures

Conversions, equivalents and substitutions

For all your cooking, decide which system of weights & measures you are going to use – imperial, US or metric – and stick to that: don't mix them! Conversions are only a rough guide and the proportions will only be right within any one system. The 'Equivalents' table given here, though, will help to sort out those tricky ones, and together with the table of 'US Cup Measures' should sort out even the trickiest recipe problems for you.

Equivalents

t = teaspoon (5ml), T = tablespoon (20ml), C = cup (250 ml metric, 8 floz imperial or US)

metric imperial/US	30g 1 oz	125g 4 oz	250g 8 oz	metric imperial/US	30g 1 oz	125g 4 oz	250g 8 oz
almonds, ground	¼C	1¼C	2¼C	fruit, mixed dried	2T	¾C	1½C
slivered	¼C	1C	2¼C	haricot beans	2T	⅔C	1¼C
whole	¼C	¾C	1½C	milk powder, full cream	¼C	1¼C	2¼C
apricots, dried, chopped	¼C	1C	2C	non-fat	⅓C	1½C	3¼C
whole	3T	1C	1¾C	oatmeal	2T	¾C	1⅔C
arrowroot	2T	⅔C	1⅓C	pasta, short (e.g. macaroni)	2T	¾C	1⅔C
barley	2T	⅔C	1¼C	peanuts, shelled, raw, whole	2T	¾C	1½C
breadcrumbs, dry	¼C	1C	2C	roasted, whole	2T	¾C	1⅔C
soft	½C	2C	4¼C	chopped	¼C	1C	2C
biscuit crumbs	¼C	1¼C	2¼C	peas, split	2T	⅔C	1¼C
butter, margarine or fat	6t	½C	1C	peel, mixed	2T	¾C	1½C
cheese, grated, lightly packed				prunes, whole, pitted	2T	¾C	1¼C
natural Cheddar	¼C	1C	2C	raisins	¼C	¾C	1½C
processed Cheddar	2T	¾C	1⅔C	rice, short grain, raw	2T	⅔C	1¼C
hard grating (Parmesan etc)	¼C	1C	2¼C	long-grain, raw	2T	¾C	1½C
cherries, glacé, chopped	2T	¾C	1½C	rolled oats	2T	1⅓C	2¾C
whole	2T	⅔C	1⅓C	semolina	2T	¾C	1½C
cocoa	¼C	1¼C	2¼C	sugar, white crystalline	6t	½C	1C
coconut, desiccated	⅓C	1⅓C	2⅔C	caster	5t	½C	1¼C
shredded	⅔C	2½C	5C	icing	2T	¾C	1½C
cornflour, custard powder	3T	1C	2C	brown, firmly packed	2T	¾C	1½C
cornflakes	1C	4½C	8⅓C	sultanas	2T	¾C	1½C
currants	2T	¾C	1⅔C	walnuts, chopped	¼C	1C	2C
dates, chopped	2T	¾C	1⅔C	halved	⅓C	1¼C	2½C
whole, pitted	2T	¾C	1½C	yeast, active dried	8t	—	—
figs, dried, chopped	2T	¾T	1½C	compressed	6t	—	—
flour, plain or self-raising	¼C	1C	2C				
wholemeal	3T	1C	1¾C				

US cup measures

Each imperial/metric measure is equivalent to 1 US cup

ground almonds	4½oz/125g	icing sugar	4oz/110g
dried fruit	6oz/175g	cornflour (cornstarch)	4½oz/125g
lentils, yellow split peas etc	8oz/225g	cheese: grated Parmesan	8oz/225g
rice, tapioca etc	8oz/225g	butter, lard, dripping	8oz/225g
flour	5oz/150g	tomato: roughly chopped flesh only	7oz/200g
sifted flour	4½oz/125g	spinach: cooked and chopped	12oz/325g
sugar: caster, granulated	7oz/200g	beef kidney suet, chopped	5oz/150g

1 US cup = 8 floz, 1 US pint = 2 cups or 16 floz

Weights & Measures

cooking chocolate, 1 oz/30g	= 3 tbs cocoa + 1 oz/30g butter
cream, sour, 1 cup	= 1 tbs lemon juice or white vinegar + cream to make 1 cup (*see* sour milk)
garlic, fresh, 1 clove:	= ¼ tsp powdered, or to taste
ginger, fresh green root, grated, 1 tbs	= preserved ginger with syrup washed off, or ¼–½ tsp ground ginger
herbs, fresh chopped, 1 tbs	= 1 tsp dried or ½ tsp powdered
milk, fresh, 1 cup	= ½ cup evaporated milk + ½ cup water
milk, sour, 1 cup	= 1 tbs lemon juice or white vinegar + milk to make 1 cup with similar taste and reaction in cooking, and warm slightly to get true, thick consistency
self-raising flour, 1 cup	= 1 cup plain flour + 2 tsp baking powder
yeast, compressed, 1 oz/30g	= 2 tsp active dry yeast (¼ oz/7g)

N.B. It is always best to use red or white wine vinegar in the recipes where vinegar is required; the results will not be the same if you use malt vinegar. In the same way, freshly ground black pepper should always be used in preference to ready-ground pepper, and remember that black pepper is more tasty and pungent than white.

Oven temperatures

The following are gas, Fahrenheit and centigrade equivalents:

Gas	¼	½	1	2	3	4	5	6	7	8	9
°F	225	250	275	300	325	350	375	400	425	450	475
°C	110	120	140	160	170	180	190	200	220	230	250

Standard abbreviations

metric

g	gram
kg	kilogram
cl	centilitre (= 10cc in domestic use)
dl	decilitre (= 100cc in domestic use)
l	litre (often *l* or in full)
mm	millimetre
cm	centimetre
m	metre
cc	cubic centimetre

imperial and US

oz	ounce
lb	pound
floz	fluid ounce
pt	pint
gal	gallon
in	inch
tsp	teaspoon (level)
tbs	tablespoon (level)

*Note that in all cases plurals are the same abbreviation – do **not** write kgs, mms, ins, lbs etc!*

Wines

The finishing touch

Nowadays excellent quality table wines are within the reach of everyone, though you should expect to pay more for a good vintage wine from one of the famous vineyards, such as Nuits-St-Georges or Schloss Johannisberg Riesling. When buying French wine, look for the *Appellation Contrôlée* label, which is a guarantee of quality.

Below is a guide to the wines that go best with certain foods, but there are no absolute *rules* about which wine to serve with what food – in the end it is your palate that must decide. For a large, formal meal, certain wines traditionally follow each other through the menu and you could serve three or even four wines at one meal. In this case, it is usual to serve dry sherry with the soup, dry white wine with the fish course, claret or burgundy with the meat or game and a white dessert wine or medium sweet champagne with the dessert. For cheese, your guests would return to the claret or burgundy. Certain foods kill the flavour of wine and should therefore be avoided if you are planning to serve wine with your meal. Mint sauce, for example, or any salad with a strong vinaigrette dressing, will destroy the taste of the wine.

Remember that red wines are generally served *chambré*, or at room temperature, to bring out the flavour. Draw the cork at least three or four hours before you plan to drink the wine and let the bottle stand in the kitchen or a warm room. (Never be tempted into putting the bottle in hot water or in front of the fire – the flavour will be ruined.) The exception to the *chambré* rule is Beaujolais, which can be served cool – some people even serve it chilled. White or rosé wines are usually served chilled – the easiest way is to put them in the fridge an hour before serving, or plunge them into an ice bucket, if you have one. Champagne should also be served well chilled and is generally brought to the table in an ice bucket.

Wines to Serve with Food

Oysters, shellfish	*Chablis, dry Moselle, Champagne*
Fried or grilled fish	*Dry Graves, Moselle, Hock, Rosé, Blanc de Blanc*
Fish with sauces	*Riesling, Pouilly-Fuissé, Chablis*
Veal, pork or chicken dishes (served simply)	*Rosé, Riesling, a light red wine such as Beaujolais*
Chicken or pork served with a rich sauce	*Claret, Côte de Rhône, Médoc*
Rich meat dishes, steaks, game	*Red Burgundy, Rioja, Red Chianti*
Lamb or duck	*Claret, Beaujolais*
Desserts and puddings	*White Bordeaux, Sauternes, Entre Deux Mers*
Cheese	*Burgundy, Rioja, Cabernet Sauvignon*

The opposite page is for notes about wines that you have particularly liked.

Notes about Wines

Notes

Notes